Dabei will Ihnen dieses Tagebuch helfen, indem es Ihnen die Möglichkeit gibt, Ihre individuellen Gedanken festzuhalten, persönliche Eindrücke zu notieren und die vielfältigen Anstöße der Texte auf das eigene Dasein zu beziehen. Durch das Tagebuch wird die „Expedition zum ICH" zu Ihrer „Expedition" – und Sie lesen nicht einfach ein Buch, sondern begeben sich wirklich auf eine Reise, einen spannenden Entwicklungsprozess voller Entdeckungen und Veränderungen.

Wir haben uns mit der Gestaltung dieses kleinen „Reisebegleiters" viel Mühe gegeben und hoffen, dass es dazu beiträgt, die 40 Tage für Sie zu einem echten Erlebnis werden zu lassen. Genießen Sie die Zeit, die vor Ihnen liegt.

MEDITATION

Ich breche auf
und staune,
was alles aufbricht
in mir.

Ich betrete Neuland
in meinem Leben
in meiner Hoffnung
und in meinen Träumen.
Ist es möglich,
sich selbst neu zu entdecken?
Ja!

Ungeahnte Bilder und Gedanken
stellen die alten in Frage
und weiten meinen Horizont.
Endlos weit!
Ich wachse über mich hinaus
und werde zu dem Menschen,
der sehnsuchtsvoll in mir
verborgen war.
Schritt für Schritt.

Ich breche auf
und staune,
was alles aufbricht
in mir.

Ich betrete Neuland
in meinem Glauben
in meinem Wollen
und in meiner Liebe.
Ist es möglich,
Gott neu zu entdecken?
Ja!

Was werde ich finden?
Was werde ich sehen?
Was werde ich hören?
Was werde ich verstehen?

Ich weiß es nicht
Noch nicht
Aber ich weiß:
Wenn ich nicht losgehe,
wird mir all das herrliche Unbekannte
verborgen bleiben.
Das hat es nicht verdient.
Das habe ich nicht verdient.
Also wage ich das Abenteuer
Und ziehe los
Welt, ich komme
Freu dich auf mich

Ich breche auf
und staune,
was alles aufbricht
in mir.

MEIN PERSÖNLICHES ZIEL BEI DER „EXPEDITION ZUM ICH“

Dass es bei der „Expedition“ darum geht, sich selbst und Gott näher zu kommen, wissen Sie schon. Aber vielleicht haben Sie ja ein ganz persönliches Anliegen, eine Frage oder ein Thema, das Sie gerne in diesen 40 Tagen klären oder durchdenken wollen. Dann können Sie es hier aufschreiben.

REISETAGEBUCH ZUR „EXPEDITION ZUM ICH“

von (Name)

Gemeinde

Reisedatum von

bis

Reisegruppe

(Falls Sie die „Expedition“ mit anderen gemeinsam erleben)

Tag 1 / **Was ist der Mensch**

Gott spricht: „Ich habe dich je und je geliebt,
darum habe ich dich zu mir gezogen aus lauter Güte."

Jeremia 31, 3

DATUM

Gott liebt den Menschen nicht, weil er so wertvoll ist,
sondern der Mensch ist so wertvoll, weil Gott ihn liebt.

HELMUT THIELICKE

MEIN WICHTIGSTER GEDANKE DES TAGES

DARÜBER WILL ICH WEITER NACHDENKEN

Tag 2 / **Die Krone der Schöpfung**

Gott schuf den Menschen zu seinem Bilde,
zum Bilde Gottes schuf er ihn;
und schuf sie als Mann und Frau.

1. Mose 1, 27

DATUM

Der Mensch ist nur dann die Krone der Schöpfung,
wenn er weiß, dass er es nicht ist.

GOTTFRIED BENN

MEIN WICHTIGSTER GEDANKE DES TAGES

DARÜBER WILL ICH WEITER NACHDENKEN

Tag 3 / **Das Risiko Gottes**

Ich habe euch Leben und Tod, Segen und Fluch vorgelegt,
damit du das Leben erwählst und am Leben bleibst,
du und deine Nachkommen, indem ihr den HERRN, euren Gott,
liebt und seiner Stimme gehorcht.

5. Mose 30, 19–20

DATUM

Freiheit bedeutet Verantwortlichkeit; das ist der Grund, warum sich die meisten Menschen vor ihr fürchten.

GEORGE BERNARD SHAW

MEIN WICHTIGSTER GEDANKE DES TAGES

DARÜBER WILL ICH WEITER NACHDENKEN

Tag 4 / **Täter und Opfer zugleich**

Schaffe in mir, Gott, ein reines Herz, und gib mir einen neuen,
beständigen Geist. Verwirf mich nicht von deinem Angesicht,
und nimm deinen heiligen Geist nicht von mir.

Psalm 51, 12–13

DATUM

Die Welt wird nicht bedroht von den Menschen, die böse sind, sondern von denen, die das Böse zulassen.

ALBERT EINSTEIN

MEIN WICHTIGSTER GEDANKE DES TAGES

DARÜBER WILL ICH WEITER NACHDENKEN

Tag 5 / **Vom Bösen ergriffen**

Das Dichten und Trachten des menschlichen Herzens
ist böse von Jugend auf.
Genesis 8, 21

DATUM

Die Menschheit ist zu weit vorwärts gegangen, um sich zurückzuwenden, und bewegt sich zu rasch, um anzuhalten.

WINSTON CHURCHILL

MEIN WICHTIGSTER GEDANKE DES TAGES

DARÜBER WILL ICH WEITER NACHDENKEN

Tag 6 / **Von Gott ausgeliefert**

Der Sünde Sold ist der Tod; die Gabe Gottes aber
ist das ewige Leben in Christus Jesus.

Römer 6, 23

DATUM

Die Strafe, die züchtigt, ohne zu verhüten, heißt Rache.

ALBERT CAMUS

MEIN WICHTIGSTER GEDANKE DES TAGES

DARÜBER WILL ICH WEITER NACHDENKEN

Tag 7 / **Eingeladen zum Neuanfang**

Barmherzig und gnädig ist der HERR, geduldig und von großer Güte. Er wird nicht für immer hadern, noch ewig zornig bleiben. Er handelt nicht mit uns nach unsern Sünden und vergilt uns nicht nach unsrer Missetat. Denn so hoch der Himmel über der Erde ist, lässt er seine Gnade walten über denen, die ihn fürchten.

Psalm 103, 8–10

DATUM

Man kann das Lied der Freiheit nicht auf dem Instrument der Gewalt spielen.

Stanislaus Lec

MEIN WICHTIGSTER GEDANKE DES TAGES

DARÜBER WILL ICH WEITER NACHDENKEN

Tag 8 / **Von Gott geführt und beschützt**

Denen, die Gott lieben, müssen alle Dinge zum Besten dienen.
Römer 8, 28

DATUM

Ich bin eine Art umgekehrter Paranoiker. Ich glaube, dass sich die ganze Welt verbündet, um mich glücklich zu machen.

J. D. Salinger

MEIN WICHTIGSTER GEDANKE DES TAGES

DARÜBER WILL ICH WEITER NACHDENKEN

Tag 9 / **Zum Vertrauen herausgefordert**

Der Glaube ist eine feste Zuversicht auf das, was man hofft,
und ein Nichtzweifeln an dem, was man nicht sieht.

Hebräer 11, 1

DATUM

Wir Deutschen denken so gern über den Glauben nach, dass wir das Nachdenken über den Glauben bereits für Glauben selbst halten.

DIETRICH BONHOEFFER

MEIN WICHTIGSTER GEDANKE DES TAGES

DARÜBER WILL ICH WEITER NACHDENKEN

Lass dir an meiner Gnade genügen;
denn meine Kraft ist in den Schwachen mächtig.

2. Korinther 12, 9

DATUM

Gott kann viel mehr mit einer Schwäche machen,
die wir ihm zur Verfügung stellen, als mit all unseren Stärken,
die wir für uns selbst behalten.

MEIN WICHTIGSTER GEDANKE DES TAGES

DARÜBER WILL ICH WEITER NACHDENKEN

Tag 11 / **Von der Ohnmacht befreit**

Wenn du durch Wasser gehst, will ich bei dir sein,
dass dich die Ströme nicht ersäufen sollen;
und wenn du ins Feuer gehst, sollst du nicht brennen,
und die Flamme soll dich nicht versengen.

Jesaja 43, 2

DATUM

Die größten Feinde der Freiheit sind die glücklichen Sklaven.

MARIE VON EBNER-ESCHENBACH

MEIN WICHTIGSTER GEDANKE DES TAGES

DARÜBER WILL ICH WEITER NACHDENKEN

Tag 12 / **Orientiert an Gottes An-Geboten**

Die Liebe ist des Gesetzes Erfüllung.

Römer 13, 10

DATUM

Liebe – und dann tu, was du willst.

AUGUSTINUS

MEIN WICHTIGSTER GEDANKE DES TAGES

DARÜBER WILL ICH WEITER NACHDENKEN

Tag 13 / **Aus ganzem Herzen**

Darin besteht die Liebe, nicht dass wir Gott geliebt haben,
sondern dass er uns geliebt hat und gesandt seinen Sohn
zur Versöhnung für unsre Sünden.

1. Johannes 4, 10

DATUM

Gott lieben heißt: Gott leben.

Aus dem Taoismus

MEIN WICHTIGSTER GEDANKE DES TAGES

DARÜBER WILL ICH WEITER NACHDENKEN

Tag 14 / **Zum Leben befreit**

Wen der Sohn frei macht, der ist wirklich frei.
Johannes 8, 36

DATUM

Freiheit ist ein Gut, dessen Dasein weniger Vergnügen bringt als seine Abwesenheit Schmerzen.

JEAN PAUL

MEIN WICHTIGSTER GEDANKE DES TAGES

DARÜBER WILL ICH WEITER NACHDENKEN

Jesus spricht: „Sammelt euch Schätze im Himmel,
wo sie weder Motten noch Rost fressen und wo die Diebe
nicht einbrechen und stehlen."

Matthäus 6, 20

DATUM

Sammle dir jeden Tag etwas Ewiges,
das dir kein Tod rauben kann.

François Fénelon

MEIN WICHTIGSTER GEDANKE DES TAGES

DARÜBER WILL ICH WEITER NACHDENKEN

Tag 16 / **Der Mut zum Träumen**

Wer aber prophetisch redet, der redet den Menschen
zur Erbauung und zur Ermahnung und zur Tröstung.

1. Korinther 14, 3

DATUM

Ein Prophet, wie wir alle wissen, spricht die höchste Wahrheit und wird deswegen meist gesteinigt. Natürlich wird ihm später zweifellos viel Ehre erwiesen.

JAWAHARAL NEHRU

MEIN WICHTIGSTER GEDANKE DES TAGES

DARÜBER WILL ICH WEITER NACHDENKEN

Tag 17 / **Die Suche nach Gott**

Ihr werdet mich suchen und finden;
denn wenn ihr mich von ganzem Herzen suchen werdet,
so will ich mich von euch finden lassen, spricht der HERR.

Jeremia 29, 13–14

DATUM

*Mit Angst verbunden ist es, immer zu suchen,
aber mit noch viel mehr Angst verbunden ist es,
gefunden zu haben und verlassen zu müssen.*

JOHANN WOLFGANG VON GOETHE

MEIN WICHTIGSTER GEDANKE DES TAGES

DARÜBER WILL ICH WEITER NACHDENKEN

Tag 18 / **Der Blick nach vorne**

Siehe, ich will ein Neues schaffen, jetzt wächst es auf,
erkennt ihr's denn nicht? Ich mache einen Weg in der Wüste
und Wasserströme in der Einöde.

Jesaja 43, 19

DATUM

Eines der Hauptübel, die im Laufe der Jahrhunderte zunehmen und sich in allen möglichen Formen äußern, ist der Glaube an die Vergangenheit.

LEO N. TOLSTOI

MEIN WICHTIGSTER GEDANKE DES TAGES

DARÜBER WILL ICH WEITER NACHDENKEN

Tag 19 / **Die Sehnsucht Gottes**

Es ist dir gesagt, Mensch, was gut ist und was Gott von dir fordert,
nämlich Gottes Wort halten und Liebe üben und demütig
(wörtlich: achtsam) sein vor deinem Gott.

Micha 6, 8

DATUM

Das Böse kann nicht mit der ganzen Seele getan werden;
das Gute kann nur mit der ganzen Seele getan werden.

MARTIN BUBER

MEIN WICHTIGSTER GEDANKE DES TAGES

DARÜBER WILL ICH WEITER NACHDENKEN

Tag 20 / **Die Feier des Lebens**

Weil Gott so viel Erbarmen mit euch gehabt hat, bitte und ermahne ich euch: Stellt euer ganzes Leben Gott zur Verfügung! Bringt euch Gott als lebendiges Opfer dar, ein Opfer völliger Hingabe, an dem er Freude hat. Das ist für euch der »vernunftgemäße« Gottesdienst.

Römer 12, 1 (Gute Nachricht-Übersetzung)

DATUM

Was nicht im Alltag lebt, lebt auch nicht im Gottesdienst.

MEIN WICHTIGSTER GEDANKE DES TAGES

DARÜBER WILL ICH WEITER NACHDENKEN

FÜR EIN ERSTES RESÜMEE

Halbzeit! Hier können Sie Ihre bis hierhin gemachten Erfahrungen mit der „Expedition zum ICH“ kurz zusammenfassen:

Tag 21 / **Das Fleisch gewordene Wort Gottes**

Wie viele ihn aber aufnahmen,
denen gab er Macht, Gottes Kinder zu werden,
denen, die an seinen Namen glauben.

Johannes 1, 12

DATUM

Gnade heißt: Gottes Nähe Auf Dieser Erde

MEIN WICHTIGSTER GEDANKE DES TAGES

DARÜBER WILL ICH WEITER NACHDENKEN

Nicht viele Weise nach dem Fleisch, nicht viele Mächtige,
nicht viele Angesehene sind berufen. Sondern was töricht
... und was schwach ist vor der Welt, das hat Gott erwählt.

1. Korinther 1, 26–27

DATUM

Eine Bekehrung ist niemals das Ergebnis eines Zufalls;
eher ereignet sie sich wie der Durchbruch eines Dammes,
der allzu lange die Wasser der Sehnsucht aufgestaut hat.

Eugen Drewermann

MEIN WICHTIGSTER GEDANKE DES TAGES

DARÜBER WILL ICH WEITER NACHDENKEN

Tag 23 / **Der Arzt**

Jesus spricht: „Der Geist des Herrn ist auf mir, weil er mich gesalbt hat, zu verkündigen das Evangelium den Armen; er hat mich gesandt, zu predigen den Gefangenen, dass sie frei sein sollen, und den Blinden, dass sie sehen sollen, und den Zerschlagenen, dass sie frei und ledig sein sollen."

Lukas 4, 18

DATUM

Ein Teil der Heilung war noch immer, geheilt werden zu wollen.

Lucius Annaeus Seneca

MEIN WICHTIGSTER GEDANKE DES TAGES

DARÜBER WILL ICH WEITER NACHDENKEN

Jesus spricht: Ich bin gekommen,
damit sie das Leben und volle Genüge haben sollen.

Johannes 10, 10

DATUM

Der Mensch ist ein anbetendes Tier.

Charles Baudelaire

MEIN WICHTIGSTER GEDANKE DES TAGES

DARÜBER WILL ICH WEITER NACHDENKEN

Tag 25 / **Der Lehrer des Gebets**

Gott ist Geist, und die ihn anbeten, die müssen ihn im Geist und in der Wahrheit anbeten.

Johannes 4, 24

DATUM

Mir ist es im ganzen Leben nicht gelungen, auch nur ein einziges Vaterunser mit Sinn und Verstand von Anfang bis Ende zu beten.

NACH MARTIN LUTHER

MEIN WICHTIGSTER GEDANKE DES TAGES

DARÜBER WILL ICH WEITER NACHDENKEN

Tag 26 / **Der für uns Gekreuzigte**

Das Wort vom Kreuz ist eine Torheit denen, die verloren werden;
uns aber, die wir selig werden, ist es eine Gotteskraft.

1. Korinther 1, 18

DATUM

Wir Menschen sind verlorener, als wir zugeben wollen,
aber auch tiefer erlöst, als wir zu hoffen wagen.

SÖREN KIERKEGARD

MEIN WICHTIGSTER GEDANKE DES TAGES

DARÜBER WILL ICH WEITER NACHDENKEN

Tag 27 / **Der Lebendige**

Ist Christus aber nicht auferstanden, so ist euer Glaube nichtig, so seid ihr noch in euren Sünden; so sind auch die, die in Christus entschlafen sind, verloren. Hoffen wir allein in diesem Leben auf Christus, so sind wir die elendesten unter allen Menschen.

1. Korinther 15, 17–19

DATUM

Die Religion sieht in der Auferstehung Jesu einen Spezialfall der allgemeinen Auferstehung. Das Christentum sieht in der Auferstehung Jesu erst die Ermöglichung unserer Auferstehung.

MEIN WICHTIGSTER GEDANKE DES TAGES

DARÜBER WILL ICH WEITER NACHDENKEN

Tag 28 / **In Christus verwurzelt**

Jesus spricht: Ich bin der Weinstock, ihr seid die Reben.
Wer in mir bleibt und ich in ihm, der bringt viel Frucht;
denn ohne mich könnt ihr nichts tun.

Johannes 15, 8

DATUM

Nicht ein Verhalten, sondern ein Verhältnis macht uns zu Christen.

MEIN WICHTIGSTER GEDANKE DES TAGES

DARÜBER WILL ICH WEITER NACHDENKEN

Tag 29 / **Von Gott beauftragt**

Gehet hin und machet zu Jüngern alle Völker:
Taufet sie auf den Namen des Vaters und des Sohnes
und des heiligen Geistes und lehret sie halten alles,
was ich euch befohlen habe.

Matthäus 28, 19–20

DATUM

Der oberste Zweck der christlichen Kirche ist es, Jesus Christus auf der ganzen Breite des persönlichen Lebens so zu verkündigen, dass man Ihn kennen lernt, Ihm vertraut, Ihm gehorcht und Ihm nachfolgt. Das ist die wichtigste Aufgabe jedes Christen. Das ist der nötigste, aber der am meisten vernachlässigte Dienst.

JOHN MOTT

MEIN WICHTIGSTER GEDANKE DES TAGES

DARÜBER WILL ICH WEITER NACHDENKEN

Tag 30 / **Von Gott begeistert**

Gott hat uns nicht gegeben den Geist der Furcht,
sondern der Kraft und der Liebe und der Besonnenheit.

2. Timotheus 1, 7

DATUM

Ohne den Heiligen Geist ist Gott fern, bleibt Christus Vergangenheit, ist das Evangelium ein toter Buchstabe, die Kirche ein bloßer Verein, die Autorität eine Herrschaftsform, die Mission Propaganda, die Liturgie eine Geisterbeschwörung und das christliche Leben eine Sklavenmoral.

PATRIARCH ATHENAGORAS VON KONSTANTINOPEL

MEIN WICHTIGSTER GEDANKE DES TAGES

DARÜBER WILL ICH WEITER NACHDENKEN

Tag 31 / **Zur Umkehr berufen**

Es sei denn, dass jemand von neuem geboren werde,
so kann er das Reich Gottes nicht sehen.

Johannes 3, 3

DATUM

Bekehrung gehört nicht zu unserer Arbeit,
weil nur Gott bekehren kann.

MUTTER TERESA

MEIN WICHTIGSTER GEDANKE DES TAGES

DARÜBER WILL ICH WEITER NACHDENKEN

Tag 32 / **In Liebe verbunden**

Sie blieben aber beständig in der Lehre der Apostel
und in der Gemeinschaft und im Brotbrechen und im Gebet.

Apostelgeschichte 2, 42

DATUM

Herr, erwecke deine Kirche und fange bei mir an.
Herr, baue deine Gemeinde auf und fange bei mir an.
Herr, bringe deine Liebe und Wahrheit zu allen Menschen
und fange bei mir an.

Aus China

MEIN WICHTIGSTER GEDANKE DES TAGES

DARÜBER WILL ICH WEITER NACHDENKEN

Tag 33 / **Miteinander herausgefordert**

Lasst uns aber wahrhaftig sein in der Liebe
und wachsen in allen Stücken zu dem hin,
der das Haupt ist, Christus.

Epheserbrief 4, 15

DATUM

Ob wir wollen oder nicht, sie sind unsere Brüder.
Sie hören erst auf unsere Brüder zu sein, wenn sie aufhören zu sprechen: Vater unser.

AUGUSTINUS

MEIN WICHTIGSTER GEDANKE DES TAGES

DARÜBER WILL ICH WEITER NACHDENKEN

Tag 34 / **Von Gnade gehalten**

So halten wir nun dafür, dass der Mensch gerecht wird
ohne des Gesetzes Werke, allein durch den Glauben.

Römer 3, 28

DATUM

Wer seinen Traum von christlicher Gemeinschaft mehr liebt als die christliche Gemeinschaft selbst, der wird zum Zerstörer jeder christlichen Gemeinschaft, und ob er es persönlich noch so ehrlich, noch so ernsthaft und hingebend meinte.

DIETRICH BONHOEFFER

MEIN WICHTIGSTER GEDANKE DES TAGES

DARÜBER WILL ICH WEITER NACHDENKEN

Tag 35 / **Gottes unüberbietbare Nähe**

Von allen Seiten umgibst du mich und hältst deine Hand über mir.
Diese Erkenntnis ist mir zu wunderbar und zu hoch,
ich kann sie nicht begreifen.

Psalm 139, 5–6

DATUM

Vor Gott ist keine Flucht als nur zu ihm.

FRIEDRICH RÜCKERT

MEIN WICHTIGSTER GEDANKE DES TAGES

DARÜBER WILL ICH WEITER NACHDENKEN

Tag 36 / **Das Letzte und das Vorletzte**

Wir haben hier keine bleibende Stadt,
sondern die zukünftige suchen wir.

Hebräer 13, 14

DATUM

Wenn morgen die Welt unterginge, würde ich heute noch ein Apfelbäumchen pflanzen.

MARTIN LUTHER

MEIN WICHTIGSTER GEDANKE DES TAGES

DARÜBER WILL ICH WEITER NACHDENKEN

Tag 37 / **Die christliche Hoffnung**

Denn ich bin gewiss, dass weder Tod noch Leben, weder Engel noch Mächte noch Gewalten, weder Gegenwärtiges noch Zukünftiges, weder Hohes noch Tiefes noch eine andere Kreatur uns scheiden kann von der Liebe Gottes, die in Christus Jesus ist, unserm Herrn.

Römer 8, 38–39

DATUM

Hoffnung ist nicht die Überzeugung, dass etwas gut ausgeht, sondern die Gewissheit, dass etwas Sinn hat, egal wie es ausgeht.

VÁCLAV HAVEL

MEIN WICHTIGSTER GEDANKE DES TAGES

DARÜBER WILL ICH WEITER NACHDENKEN

Tag 38 / **Die Auferstehung der Toten**

Also hat Gott die Welt geliebt, dass er seinen eingeborenen Sohn gab,
damit alle, die an ihn glauben, nicht verloren werden,
sondern das ewige Leben haben.

Johannes 3, 16

DATUM

Die Auferstehung ist die einfachste Sache von der Welt:
Der, welcher den Menschen einmal geschaffen hat,
kann ihn auch zweimal schaffen.

VOLTAIRE

MEIN WICHTIGSTER GEDANKE DES TAGES

DARÜBER WILL ICH WEITER NACHDENKEN

Tag 39 / **Das Jüngste Gericht**

Wahrlich, wahrlich, ich sage euch: Wer mein Wort hört und glaubt dem, der mich gesandt hat, der hat das ewige Leben und kommt nicht in das Gericht, sondern er ist vom Tode zum Leben hindurch gedrungen.

Johannes 5, 24

DATUM

Am Ende gibt es nur zwei Arten von Menschen:
die, die zu Gott sagen: „Dein Wille geschehe“ und die,
zu denen Gott am Ende sagt: „Dein Wille geschehe“.

C. S. LEWIS

MEIN WICHTIGSTER GEDANKE DES TAGES

DARÜBER WILL ICH WEITER NACHDENKEN

Tag 40 / **Gottes zukünftige Welt**

Ich sah einen neuen Himmel und eine neue Erde ...
Und Gott wird abwischen alle Tränen von ihren Augen,
und der Tod wird nicht mehr sein, noch Leid noch Geschrei
noch Schmerz wird mehr sein.

Offenbarung 22, 1 und 4

DATUM

Bei der Auferstehung wird die Welt in Gestalt eines abscheulichen alten Weibes kommen, und keiner erblickt sie, ohne sie zu hassen. Sie wird den Geschöpfen vorgeführt, die dann gefragt werden: „Kennt ihr die da?", und sie werden sagen: „Gott bewahre, dass wir so eine kennen sollten!" Dann sagt man ihnen: „Dies ist die Welt, deren ihr euch so sehr gerühmt habt und um derentwillen ihr euch bekämpft habt!"

MOHAMMED

MEIN WICHTIGSTER GEDANKE DES TAGES

DARÜBER WILL ICH WEITER NACHDENKEN

MEIN RESÜMEE

Die 40 Tage sind vorüber und waren hoffentlich eine bereichernde, ermutigende und verändernde Erfahrung. Nehmen Sie sich doch zum Schluss noch einmal einen Moment Zeit, um kurz zusammen zu fassen, was Ihnen die „Expedition zum ICH“ gebracht hat.

MEINE NÄCHSTEN SCHRITTE

Wahrscheinlich hat die „Expedition" in Ihnen Fragen ausgelöst, die weiter bedacht werden wollen – oder Sie haben festgestellt, dass Sie in einem bestimmten Bereich Ihres Lebens ganz konkrete Veränderungen angehen wollen. Dann sollten Sie das nicht auf die lange Bank schieben, sondern sich jetzt schon überlegen, welche Schritte Sie in der nächsten Zeit gehen können. Damit Sie zum Beispiel in zwei Monaten sehen können, ob Sie Ihrem Ziel näher gekommen sind.

SEGEN

Dieser Reisebegleiter schließt mit der Zuversicht, dass es sich immer lohnt, Expeditionen zu wagen. Dazu wünschen wir Ihnen Gottes reichen Segen.

Gott berühre Dich zärtlich,
er streichle Deine Seele,
umhülle Dich sanft mit seiner Liebe
und küsse die Hoffnung in Dir wach.

Gott berühre Dich kräftig,
er ebne Deine Wege,
räume alle Hindernisse zur Seite
und schenke Dir langen Atem.

Gott berühre Dich herausfordernd,
er decke Deine Lebenslügen auf,
konfrontiere Dich mit Deinen Ängsten
und offenbare Deine Unfreiheiten.

Gott berühre Dich wehmütig,
er helfe Dir, Traurigkeiten zu ertragen,
Tränen ungehemmt fließen zu lassen
und alle Trennungen zu überwinden.

Gott berühre Dich wild,
er sprenge Deine Grenzen,
lasse Dich Träume wagen
und Sehnsüchte leben.

Gott berühre Dich ungeduldig,
damit Du das Zögern aufgibst,
mutig den ersten Schritt gehst
und Dich aus Deiner Welt hinaustraust.

Gott berühre Dich leise,
damit Du die Stille ertragen lernst,
die Ruhe als Quelle entdeckst
und die Unruhe in Dir besiegst.

Gott berühre Dich groß,
damit Du über Dich hinauswächst,
Deine Möglichkeiten entfaltest
und sein Reich in Dir beginnt.

So segne Dich
der Gott des gelingenden Lebens,
der Vater, der Sohn
und der Heilige Geist. Amen.